P9-DOH-853

On partage TOUT!

Robert Munsch

illustrations de

Michael Martchenko

Texte français de
Christiane Duchesne

Les éditions Scholastic

Les illustrations de ce livre ont été réalisées à
l'aquarelle sur des supports d'illustrations Crescent.

La conception graphique de ce livre a été faite en QuarkXPress,
en caractère Caslon 224 Medium de 18 points.

Données de catalogage avant publication (Canada)
Munsch, Robert N., 1945 -
[We share everything! Français]
On partage tout!

Traduction de : We share everything!
ISBN 0-590-51451-2

I. Martchenko, Michael. II. Duchesne, Christiane, 1949 -   III. Titre.
IV. Titre : We share everything! Français.

PS8576.U575W414 1999   jC813'54   C99-930307-4
PZ23.M8On 1999

Copyright © Bob Munsch Enterprises, Ltd., 1999, pour le texte.
Copyright © Michael Martchenko, 1999, pour les illustrations.
Copyright © Les éditions Scholastic, 1999, pour le texte français.
Tous droits réservés.
Il est interdit de reproduire, d'enregistrer ou de diffuser en tout ou
en partie le présent ouvrage, par quelque procédé que ce soit, électronique,
mécanique, photographique, sonore, magnétique ou autre,
sans avoir obtenu au préalable l'autorisation écrite de l'éditeur.
Pour la photocopie ou autre moyen de reprographie, on doit obtenir
un permis en s'adressant à CANCOPY (Canadian Copyright Licensing Agency),
6, rue Adelaide Est, Bureau 900, Toronto (Ontario) M5C 1H6.

Édition publiée par Les éditions Scholastic, 175, Hillmount Road, Markham (Ontario) L6C 1Z7.

6 5 4 3 2 1   Imprimé au Canada   9 /9 0 1 2 3 4 /0

À Amanda McCusker
et Jeremiah Williams
de Pontiac, au Michigan
—R.M.

Le premier jour d'école,

ne sachant pas quoi faire,

Amanda et Jérémie entrent dans la classe de maternelle. Amanda prend un livre.

Jérémie vient la rejoindre et lui dit :

— Donne-moi le livre.

— Non, je ne te donnerai pas le livre, dit Amanda. Je le regarde.

Jérémie décide d'utiliser la méthode de son petit frère.

— Si tu ne me donnes pas ce livre, je crie et je hurle!

— Tant pis pour toi!, dit Amanda.

Alors Jérémie ouvre la bouche et crie très fort.

— AAAAAAAAAHHH!

Amanda lui coince le livre dans la bouche.

BLOMP!

— **Gniac!**, fait Jérémie.

La maîtresse arrive en courant.
— Écoutez bien, dit-elle.
Nous sommes à la maternelle.
Et à la maternelle, on partage tout.
— Ça va, ça va, ça va,
disent Jérémie et Amanda.

Jérémie commence à construire une tour avec des cubes.

Amanda s'approche.

— Donne-moi les cubes!, dit-elle.

— Non, je ne te donnerai pas les cubes. Je construis une tour.

Amanda décide d'utiliser la méthode de son grand frère.

— Si tu ne me donnes pas les cubes, je démolis ta tour!

— Tant pis pour toi!, dit Jérémie.

Alors Amanda donne un grand coup de pied dans la tour.

PAF!

Les cubes s'écrasent partout sur le plancher.

Ooooh!

Aaaah!

Aïe!

Ooooh! Aïe!

Aaaah!

Aïe!

La maîtresse arrive en courant.

— Écoutez bien, dit-elle.

Nous sommes à la maternelle.

Et à la maternelle, on partage tout.

— Ça va, ça va, ça va,

disent Amanda et Jérémie.

Jérémie et Amanda décident
de faire de la peinture.

— C'est moi le premier!, dit Jérémie.

— Non, c'est moi, dit Amanda.

— Si tu ne me laisses pas être le premier,
je crie et je hurle!, dit Jérémie.

— Tant pis pour toi, dit Amanda.

Jérémie et Amanda commencent en même
temps, et la peinture vole à travers la pièce.

Jérémie crie du plus fort qu'il peut.

— AAAAAAAHHHHH!

La maîtresse et tous les
enfants arrivent en courant.
— Écoutez bien, disent-ils.
Nous sommes à la maternelle.
Et à la maternelle, on partage tout.

Jérémie regarde Amanda.

— Amanda, nous devons tout partager. Qu'est-ce qu'on partage?

— Je ne sais pas, dit Amanda. Nos... euh... nos chaussures?

— Bonne idée, dit Jérémie.

Ils échangent leurs chaussures.

— Regarde-moi ça!, fait Jérémie. Des chaussures roses qui me vont comme un gant. Maman ne m'a jamais acheté de chaussures roses. Super! On partage! Qu'est-ce qu'on échange? On échange nos chandails?

Ils échangent leurs chandails.

— Regarde-moi ça!, dit Jérémie. Un chandail rose! Pas un garçon de la maternelle n'a de chandail rose.

— Super!, dit Amanda. C'est amusant.
On partage! On échange nos pantalons?

Ils échangent donc leurs pantalons.

— Oh là là!, crie Jérémie. Un pantalon
rose! C'est chouette...

À ce moment-là, la maîtresse revient.

— Jérémie et Amanda! Vous partagez tout,
vous apprenez les règles de la maternelle,
vous vous comportez comme des grands...
J'aime beaucoup ton... PANTALON ROSE?
Jérémie, où as-tu pris ce pantalon rose?

— Oh!, fait Jérémie. Amanda et moi, nous
échangeons nos vêtements.

— Qu'avez-vous fait?, crie le professeur.
Qui vous a dit que vous pouviez échanger
vos vêtements?

Et tous les enfants
s'exclament en chœur :
— Écoutez bien!
Nous sommes à la maternelle.
Et à la maternelle,
on partage...